LE MUR

JEAN-PAUL SARTRE

LE MUR

Rédacteur: Jan A. Verschoor
Illustrations: Jette Jørgensen

Les structures et le vocabulaire de ce livre sont fondés sur
une comparaison des ouvrages suivants :
Börje Schlyter : Centrala Ordförrådet i Franskan
Albert Raasch : Das VHS-Zertifikat für Französisch
Etudes Françaises – Echanges
Sten-Gunnar Hellström, Sven G. Johansson : On parle français
Ulla Brodow, Thérèse Durand : On y va

Rédacteur de serie : Ulla Malmmose

Maquette : Mette Plesner
Illustration de couverture : Jette Jørgensen

Édition intégrale non simplifiée

ISBN Danemark 87-11-09340-4
www.easyreader.dk

Imprimé au Danemark par
Sangill Grafisk Produktion, Holme Olstrup

JEAN-PAUL SARTRE
(1905-1980)

Après avoir été professeur de lycée, journaliste, professeur de philosophie dans l'enseignement supérieur, Sartre a été romancier et dramaturge. Plus tard il a opté définitivement pour le théâtre.

Dans ses ouvrages Sartre est avant tout philosophe; il est devenu «chef» de l'école dite existentialiste. Comme l'absurdité se trouve à la base de cette philosophie, le monde de Sartre est plutôt dégoûtant: les héros de ses ouvrages agissent sans savoir pourquoi. D'autre part, cependant, la philosophie sartrienne est aussi celle de l'engagement, résultant en un appel à la générosité et à la solidarité.

Quelques titres de romans et de recueils de nouvelles: les nouvelles du recueil LE MUR; le roman LA NAUSÉE; les trois tomes de la trilogie LES CHEMINS DE LA LIBERTÉ; l'autobiographie LES MOTS.

Quelques titres de pièces: HUIS CLOS; LES MAINS SALES; LE DIABLE ET LE BON DIEU; LES SÉQUESTRÉS D'ALTONA.

Parmi les ouvrages philosophiques enfin: L'ÊTRE ET LE NÉANT; L'EXISTENTIALISME EST UN HUMANISME. Et parmi les ouvrages littéraires: BAUDELAIRE, et surtout les trois tomes sur Flaubert: L'IDIOT DE LA FAMILLE.

Note:
Au niveau C on connaît déjà les terminaisons verbales de la 3e personne du singulier du passé simple. Exemples: il eut; il fut; il parla; il choisit; il répondit; il dit; il fit; il mit; il vit; il s'assit; il comprit; il voulut; il vint; il crut; il connut; il écrivit, etc. Dans le texte, on trouve aussi quelques terminaisons qui se rattachent à d'autres personnes du même temps: j'eu*s*; ils fu*rent*; je parl*ai*, -demand*ai*, etc.; ils saut*èrent*, -entr*èrent*, etc.; nous rest*âmes*, -refus*âmes*, etc.; je sort*is*; ils sort*irent*; je répond*is*, -attend*is*, etc.; nous répond*îmes*, entend*îmes*, etc.; je di*s*; je me mi*s* à; ils se mi*rent* à; je vi*s*; je m'ass*is*; nous nous ass*îmes*; je compr*is*; je voul*us*; je me souv*ins*; ils rev*inrent*; je cr*us*; je reconn*us*; ils écriv*irent*. Il faudra en tenir compte.

TABLE DES MATIERES

1

On nous poussa dans une grande salle blanche, et mes yeux se mirent à *cligner* parce que la lumière leur faisait mal. Ensuite, je vis une table et quatre types derrière la table, des *civils*, qui regardaient des papiers.

On avait *massé* les autres *prisonniers* dans le fond et il nous fallut traverser toute la pièce pour les *rejoindre*. Il y en avait plusieurs que je connaissais et d'autres qui devaient être étrangers.

Les deux qui étaient devant moi étaient blonds avec des *crânes* ronds, ils se ressemblaient: des Français, j'imagine. Le plus petit remontait tout le temps son pantalon: c'était nerveux.

cligner, se fermer et s'ouvrir
civil, le contraire de «militaire»
masser, ici: rassembler; réunir
rejoindre quelqu'un, aller retrouver quelqu'un

Ça dura près de trois heures; j'étais *abruti* et j'avais la tête vide, mais la pièce était bien chauffée et je trouvais ça plutôt agréable: depuis vingt-quatre heures, nous n'avions pas cessé de *grelotter*.

Les gardiens amenaient les prisonniers l'un après l'autre devant la table. Les quatre types leur demandaient alors leur nom et leur profession. La plupart du temps ils n'allaient pas plus loin – ou bien alors ils posaient une question *par ci, par là*:

– As-tu pris part au sabotage des *munitions*?

Ou bien:

– Où étais-tu le matin du 9 et que faisais-tu?

Ils n'écoutaient pas les réponses ou du moins ils n'en avaient pas l'air: ils se taisaient un moment et regardaient droit devant eux, puis ils se mettaient à écrire.

Ils demandèrent à Tom si c'était vrai qu'il servait dans la Brigade internationale: Tom ne pouvait pas dire le contraire à cause des papiers qu'on avait trouvés dans sa veste.

A Juan ils ne demandèrent rien, mais, après qu'il eut dit son nom, ils écrivirent longtemps.

– C'est mon frère José qui est anarchiste, dit Juan. Vous savez bien qu'il n'est plus ici: Moi, je ne suis d'aucun parti, je n'ai jamais fait de politique.

Ils ne répondirent pas.

Juan dit encore:

---

abruti, devenu stupide
grelotter, trembler de froid
par ci, par là, ici et là; au hasard
des munitions (f.), des explosifs nécessaires au chargement des armes à feu

– Je n'ai rien fait. Je ne veux pas payer pour les autres.

Ses lèvres tremblaient. Un gardien le fit taire et l'emmena. C'était mon tour.

– Vous vous appelez Pablo Ibbieta? 5

Je dis que oui.

Le type regarda ses papiers et me dit:

– Où est Ramon Gris?

– Je ne sais pas.

– Vous l'avez caché dans votre maison du 6 au 19. 10

– Non.

Ils écrivirent un moment et les gardiens me firent sortir.

Dans le couloir Tom et Juan attendaient entre deux gardiens. Nous nous mîmes en marche. 15

Tom demanda à un des gardiens:

– Et alors?

– Quoi? dit le gardien.

– C'est un *interrogatoire* ou un *jugement*?

– C'était le jugement, dit le gardien. 20

– Eh bien? Qu'est-ce qu'ils vont faire de nous?

Le gardien répondit sèchement:

– On vous communiquera la *sentence* dans vos *cellules.*

En fait, ce qui nous servait de cellule, c'était une des 25 caves de l'hôpital. Il y faisait terriblement froid à cause des courants d'air.

Toute la nuit nous avions grelotté et pendant la

---

un interrogatoire, une suite de questions posées à quelqu'un
le jugement, le résultat de l'action de juger quelqu'un
la sentence, le jugement
une cellule, voir illustration page 10

journée ça n'avait guère mieux été. Les cinq jours *précédents* je les avais passés dans un *cachot* de l'*archevêché*, une espèce d'*oubliette* qui devait dater du *Moyen Age*: comme il y avait beaucoup de prisonniers et peu
5 de place, on les *casait* n'importe où.

Je ne regrettais pas mon cachot: je n'y avais pas souffert du froid, mais j'y étais seul; *à la longue* c'est irritant.

une cellule - un cachot

---

précédent, le contraire de «suivant»
un archevêche, une province de l'Eglise placée sous l'autorité d'un archevêque; un diocèse
le Moyen Age, la période comprise entre l'antiquité et les temps modernes
caser, placer; loger
à la longue, avec le temps; après beaucoup de temps

Dans la cave j'avais de la compagnie. Juan ne parlait guère: il avait peur et puis il était trop jeune pour avoir son mot à dire. Mais Tom était beau parleur et il savait très bien l'espagnol.

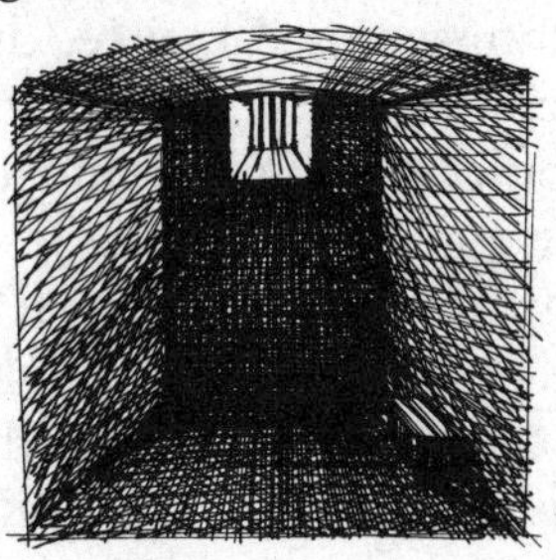
une oubliette

Dans la cave il y avait un banc et quatre *paillasses*. 5
Quand ils nous eurent ramenés, nous nous assîmes et nous attendîmes en silence. Tom dit, au bout d'un moment:

– Nous sommes *foutus*.

– Je le pense aussi, dis-je, mais je crois qu'ils ne 10 feront rien au petit.

– Ils n'ont rien à lui reprocher, dit Tom. C'est le frère d'un militant, voilà tout.

Je regardai Juan: il n'avait pas l'air d'entendre.

Tom *reprit*: 15

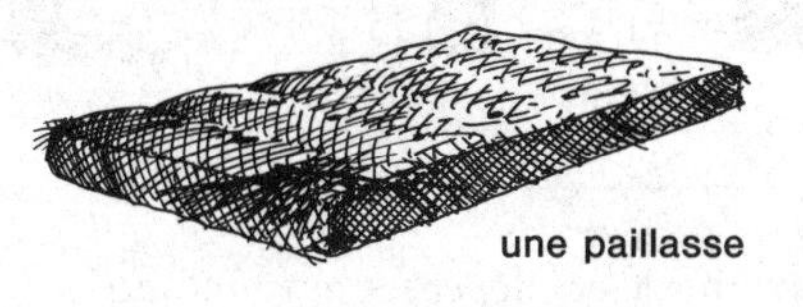
une paillasse

être foutu, être perdu; être condamné
reprendre, prendre de nouveau la parole

– Tu sais ce qu'ils font à Saragosse? Ils couchent les types sur la route et ils leur *passent dessus* avec des camions. C'est un Marocain déserteur qui nous l'a dit. Ils disent que c'est pour *économiser* les munitions.

5 – Ça n'économise pas l'essence, dis-je.

J'étais irrité contre Tom: il n'aurait pas dû dire ça.

– Il y a des officiers qui se promènent sur la route, poursuivit-il, et qui surveillent ça, les mains dans les poches, en fumant des cigarettes ... Tu crois qu'ils 10 *achèveraient* les types? *Je t'en fous.* Ils les laissent *gueuler.* Des fois pendant une heure. Le Marocain dit que, la première fois, il a *manqué dégueuler.*

il dégueule

---

passer dessus, écraser
économiser, ménager; dépenser avec mesure
achever quelqu'un, tuer quelqu'un
je t'en fous, pas du tout
gueuler, crier
manquer + infinitif, être sur le point de; être tout près de

– Je ne crois pas qu'ils fassent ça ici, dis-je. A moins qu'ils ne manquent vraiment de munitions.

Le jour entrait par quatre *soupiraux* et par une *ouverture* ronde qu'on avait *pratiquée* au plafond, sur la gauche, et *qui donnait sur* le ciel. 5

---

le jour, la lumière du jour
pratiquer une ouverture, ici: faire un trou
qui donne sur quelque chose, par lequel (laquelle) on a vue sur quelque chose

C'est par ce trou rond ordinairement fermé par une *trappe* qu'on *déchargeait* le charbon dans la cave.

Juste *au-dessous du* trou il y avait un gros *tas de poussier*. Il avait été destiné à chauffer l'hôpital, mais, dès le
5 début de la guerre, on avait évacué les malades, et le charbon restait là, inutilisé; il pleuvait même *dessus*, à l'occasion, parce qu'on avait oublié de baisser la trappe.

Tom se mit à grelotter:

10 – *Sacré* nom de Dieu, je grelotte, dit-il, voilà que ça recommence.

Il se leva et se mit à faire de la gymnastique. A chaque mouvement sa chemise s'ouvrait sur sa poitrine blanche et *velue*. Il s'étendit sur le dos, leva les jambes
15 en l'air et *fit les ciseaux*: je voyais trembler sa grosse *croupe*.

---

une trappe, voir illustration page 13
décharger, le contraire de «charger»
au-dessous de, sous; en bas de
un tas de poussier, voir illustration page 13
dessus, ici: sur le charbon
sacré, maudit; sale

Tom était *costaud*, mais il *avait* trop *de graisse.* Je pensais que des balles de *fusil* ou des pointes de *baïonnettes* allaient bientôt *s'enfoncer* dans cette masse de *chair* tendre comme dans une *motte* de beurre. Ça ne faisait pas le même effet que s'il avait été maigre. 5

Je n'avais pas exactement froid, mais je ne sentais plus mes épaules ni mes bras. De temps en temps, j'avais l'impression qu'il me manquait quelque chose et je commençais à chercher ma veste autour de moi, et puis je me rappelais brusquement qu'ils ne 10 m'avaient pas donné de veste. C'était plutôt pénible.

Ils avaient pris nos vêtements pour les donner à leurs soldats et ils ne nous avaient laissé que nos chemises – et ces pantalons de toile que les malades hospitalisés portaient *au gros de* l'été. 15

Au bout d'un moment Tom se releva et s'assit près de moi en soufflant.

– Tu es *réchauffé*?

– Sacré nom de Dieu, non. Mais je suis *essoufflé.*

Vers huit heures du soir, un commandant entra 20 avec deux *phalangistes.* Il avait une feuille de papier à la main.

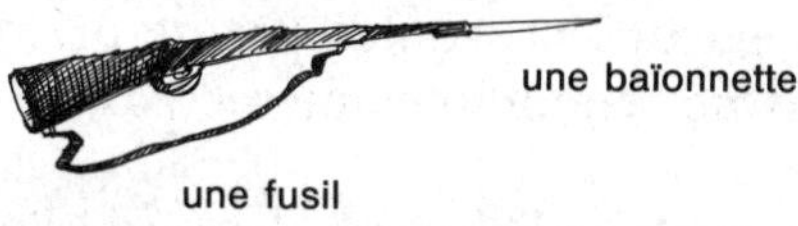

---

costaud, fort; robuste
avoir de la graisse, être gras
s'enfoncer, pénétrer; entrer profondément
la chair, la 'viande' du corps de l'homme
une motte (de beurre), une masse (de beurre)
au gros de, au moment le plus intense de
se réchauffer, prendre chaud
essoufflé, à bout de souffle
un phalangiste, un milicien fasciste

Il demanda au gardien:
– Comment s'appellent-ils, ces trois-là?
– Steinbock, Ibbieta et Mirbal, dit le gardien.
Le commandant mit ses *lorgnons* et regarda sa liste.
5 – Steinbock ... Steinbock ... Voilà. Vous êtes condamné à mort. Vous serez fusillé demain matin.
Il regarda encore:
– Les deux autres aussi, dit-il.
– C'est pas possible, dit Juan. Pas moi.
10 Le commandant le regarda d'un air étonné:
– Comment vous appelez-vous?
– Juan Mirbal, dit-il.
– Eh bien, votre nom est là, dit le commandant, vous êtes condamné.
15 – J'ai rien fait, dit Juan.
Le commandant *haussa* les épaules et se tourna vers Tom et vers moi.
– Vous êtes Basques?
– Personne n'est Basque.
20 Il eut l'air *agacé*.
– On m'a dit qu'il y avait trois Basques. Je ne vais pas perdre mon temps à leur courir après. Alors naturellement vous ne voulez pas de prêtre?
Nous ne répondîmes même pas.
25 Il dit:
– Un médecin belge viendra tout à l'heure. Il a l'*autorisation* de passer la nuit avec vous.
Il fit le salut militaire et sortit.
– Qu'est-ce que je te disais, dit Tom. On est bons.

---

agacer, irriter, énerver
l'autorisation (*f.*), la permission

des lorgnons
il hausse les épaules

– Oui, dis-je, c'est *vache* pour le petit.

Je disais ça pour être juste, mais je n'aimais pas le petit.

Il avait un visage trop fin et la peur, la *souffrance* l'avaient *défiguré*, elles avaient *tordu* tous *ses traits.* Trois jours *auparavant*, c'était un *môme* dans le genre *mièvre*, ça peut plaire; mais maintenant il avait l'air d'une vieille *tapette*, et je pensais qu'il ne redeviendrait plus jamais jeune, même si on le *relâchait.*

Ça n'aurait pas été mauvais d'avoir un peu de pitié à lui offrir, mais la pitié me *dégoûte*, il me faisait plutôt horreur.

Il n'avait plus rien dit, mais il était devenu gris: son visage et ses mains étaient gris.

Il se rassit et regarda le sol avec des yeux ronds.

Tom était une bonne âme, il voulut lui prendre le bras, mais le petit se dégagea violemment en *faisant une grimace.*

– Laisse-le, dis-je à voix basse, tu vois bien qu'il va se mettre à *chialer.*

---

vache, méchant
la souffrance, la douleur; le peine
défigurer quelqu'un, abîmer le visage de quelqu'un
tordre les traits, transformer le visage
auparavant, avant
un môme, un enfant
mièvre, d'une gentillesse qui n'est pas naturelle
une tapette, ici: un homosexuel; un pédéraste passif
relâcher, remettre en liberté
dégoûter, le contraire de «plaire», d'«attirer»
faire une grimace, se tordre le visage
chialer, pleurer

Tom obéit à regret; il aurait aimé *consoler* le petit; ça l'aurait occupé et il n'aurait pas été tenté de penser à lui-même. Mais ça m'agaçait: je n'avais jamais pensé à la mort parce que l'occasion ne s'en était pas présentée, mais maintenant l'occasion était là, et il n'y avait pas autre chose à faire que de penser à ça. 5

Tom se mit à parler:

– Tu as *bousillé* des types, toi? me demanda-t-il.

Je ne répondis pas. Il commença à m'expliquer qu'il en avait bousillé six depuis le début du mois d'août; il ne se rendait pas compte de la situation, et je voyais bien qu'il ne **voulait** pas s'en rendre compte. 10

Moi-même, je ne réalisais pas encore tout à fait, je me demandais si on souffrait beaucoup, je pensais aux balles, j'imaginais leur *grêle* brûlante à travers mon corps. 15

Il tombe sous une grêle de balles

---

consoler, réconforter; calmer
bousiller, ici: tuer; donner la mort à

Tout ça, c'était en dehors de la véritable question; mais j'étais tranquille: nous avions toute la nuit pour comprendre.

Au bout d'un moment Tom cessa de parler et je le regardai du coin de l'œil; je vis qu'il était devenu gris, lui aussi, et qu'il avait l'air misérable; je me dis: – Ça commence.

Il faisait presque nuit, une *lueur terne* filtrait à travers les soupiraux et le tas de charbon, et faisait une grosse tache sous le ciel; par le trou du plafond je voyais déjà une étoile: la nuit serait pure et *glacée*.

---

une lueur terne, une lumière faible sans éclat
glacé, très froid

2

La porte s'ouvrit, et deux gardiens entrèrent. Ils étaient suivis d'un homme blond qui portait un uniforme belge. Il nous salua:

– Je suis médecin, dit-il. J'ai l'autorisation de vous assister en ces pénibles circonstances. 5

Il avait une voix agréable et distinguée.

Je lui dis:

– Qu'est-ce que vous venez faire ici?

– Je me mets à votre disposition. Je ferai tout mon possible pour que ces quelques heures vous soient 10 moins lourdes.

– Pourquoi êtes-vous venu chez nous? Il y a d'autres types, l'hôpital en est plein.

– On m'a envoyé ici, répondit-il d'un air vague.

– Ah! vous aimeriez fumer, hein? ajouta-t-il *précipitamment.* J'ai des cigarettes et même des cigares. Il 15 nous offrit des cigarettes anglaises et des *puros*, mais nous refusâmes. Je le regardai dans les yeux et il parut gêné.

Je lui dis: 20

– Vous ne venez pas ici par *compassion.* D'ailleurs, je vous connais. Je vous ai vu avec des fascistes dans la cour de la *caserne*, le jour où on m'a arrêté. J'allais continuer, mais tout d'un coup il m'arriva quelque chose qui me surprit; la présence de ce médecin cessa 25 brusquement de m'intéresser. D'ordinaire, quand je

---

précipitamment, en hâte; brusquement
un puro (mot espagnol), un cigare
la compassion, la pitié
une caserne, un bâtiment destiné au logement des soldats

suis sur un homme, je ne le lâche pas. Et pourtant l'envie de parler me quitta; je haussai les épaules et je détournai les yeux.

Un peu plus tard, je levai la tête: il m'observait d'un air curieux. Les gardiens s'étaient assis sur une paillasse. Pedro, le grand maigre, se tournait les *pouces*, l'autre agitait de temps en temps la tête pour s'empêcher de dormir.

– Voulez-vous de la lumière? dit soudain Pedro au médecin.

L'autre fit «oui» de la tête: je pense qu'il avait à peu près autant d'intelligence qu'une *bûche*, mais sans doute n'était-il pas méchant. A regarder ses gros yeux bleus et froids, il me sembla qu'il *péchait* surtout par défaut d'imagination.

---

pécher, commettre une faute, une erreur

Pedro sortit et revint avec une lampe à pétrole qu'il posa sur le coin du banc. Elle éclairait mal, mais c'était mieux que rien: la veille on nous avait laissés dans le noir.

Je regardai un bon moment le rond de lumière que la lampe faisait au plafond. J'étais fasciné. 5

Et puis, brusquement, je me réveillai, le rond de lumière s'effaça, et je me sentis écrasé sous un poids énorme. Ce n'était pas la pensée de la mort, ni la *crainte*: c'était anonyme. 10

Les *pommettes* me brûlaient et j'avais mal au crâne.

Je me secouai et regardai mes deux *compagnons.* Tom avait *enfoui* sa tête dans ses mains, je ne voyais que sa *nuque* grasse et blanche. Le petit Juan était de beaucoup le plus *mal en point*, il avait la bouche 15 ouverte et ses *narines* tremblaient.

Le médecin s'approcha de lui et lui posa la main sur l'épaule comme pour le réconforter: mais ses yeux restaient froids.

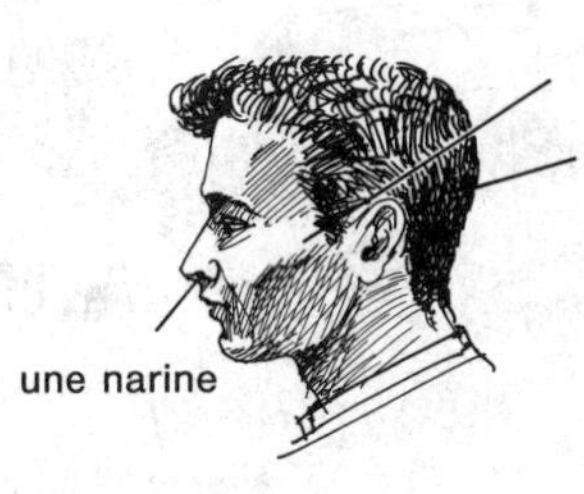

---

la crainte, la peur
le compagnon, le copain; le camarade
enfouir, plonger
il est mal en point, il va mal

Puis je vis la main du Belge descendre *sournoisement* le long du bras de Juan jusqu'au *poignet.*

Juan se laissait faire *avec indifférence.* Le Belge lui prit le poignet entre trois doigts, avec un air *distrait,* en même temps il recula un peu et s'arrangea pour me tourner le dos. Mais je me penchai en arrière et je le vis tirer sa montre et la consulter un instant sans lâcher le poignet du petit. Au bout d'un moment, il laissa retomber la main *inerte,* et alla *s'adosser au* mur, puis, comme s'il se rappelait soudain quelque chose de très important qu'il fallait noter *sur-le-champ,* il prit un carnet dans sa poche et y inscrivit quelques lignes.

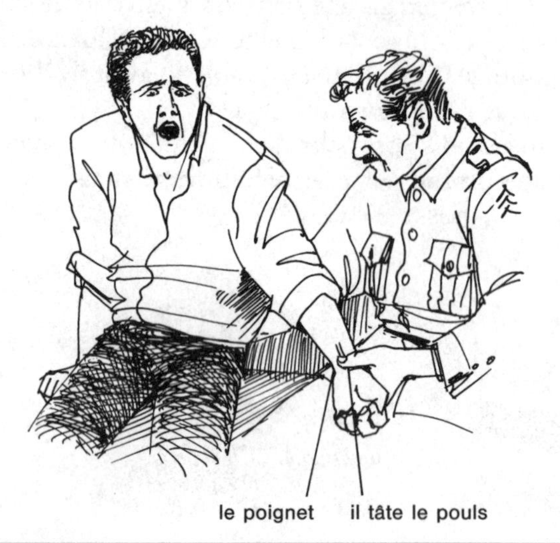

---

sournoisement, d'une manière hypocrite
avec indifférence, avec froideur
distrait, inattentif
inerte, immobile
s'adosser à, s'appuyer en mettant le dos contre
sur-le-champ, aussitôt; sans délai

– Le *salaud*, pensai-je avec colère, qu'il ne vienne pas me *tâter le pouls*, je lui enverrai mon poing dans sa sale *gueule*.

Il ne vint pas, mais je sentis qu'il me regardait. Je levai la tête et lui rendis son regard.

Il me dit d'une voix impersonnelle:

– Vous ne trouvez pas qu'on grelotte ici?

Il avait l'air d'avoir froid; il était violet.

– Je n'ai pas froid, lui répondis-je.

Il ne cessait pas de me regarder, d'un air dur. Brusquement je compris et je portais mes mains à ma figure: j'étais *trempé de sueur*.

Dans cette cave, au gros de l'hiver, en plein courant d'air, je *suais*.

Je passai les doigts dans mes cheveux qui *étaient feutrés* par la transpiration; en même temps je m'aperçus que ma chemise était humide et collait à ma peau: je *ruisselais* depuis une heure au moins et je n'avais rien senti. Mais ça n'avait pas échappé au cochon de Belge; il avait vu les gouttes rouler sur mes joues et il avait pensé: c'est la manifestation d'un état de *terreur quasi* pathologique; et il s'était senti normal et fier de l'être parce qu'il avait froid.

---

un salaud, une personne peu respectable; un sale type
la gueule, la figure; le visage
trempé de sueur, mouillé par la transpiration
suer, voir illustration page 26
être feutré, avoir pris l'aspect du feutre
le feutre, espèce d'étoffe, de tissu
ruisseler, ici: suer beaucoup
la terreur, la peur extrême
quasi, presque

Je voulus me lever pour lui casser la figure, mais à peine avais-je *ébauché* un geste que ma honte et ma colère furent effacées; je retombai sur le banc avec indifférence.

5 Je me contentai de me *frictionner* le cou avec mon mouchoir parce que, maintenant, je sentais la sueur qui *gouttait* de mes cheveux sur ma nuque, et c'était *désagréable*.

Je renonçai d'ailleurs bientôt à me frictionner, c'était 10 inutile: déjà mon mouchoir était *bon à tordre*, et je suais toujours. Je suais aussi des *fesses* et mon pantalon humide *adhérait* au banc.

ébaucher, commencer, sans exécuter jusqu'au bout
goutter, couler goutte à goutte
désagréable, le contraire de «agréable»
bon à tordre, trempé; tout mouillé
adhérer, coller

Le petit Juan parla tout à coup.
– Vous êtes médecin?
– Oui, dit le Belge.
– Est-ce qu'on souffre ... longtemps?
– Oh! Quand ... ? Mais non, dit le Belge d'une voix *paternelle*, c'est vite fini. 5

Il avait l'air de rassurer un malade payant.
– Mais je ... on m'avait dit ... qu'il fallait souvent deux salves.
– Quelquefois, dit le Belge en *hochant la tête*. Il peut se faire que la première salve n'atteigne aucun des organes vitaux. 10
– Alors il faut qu'ils rechargent les fusils et qu'ils *visent* de nouveau?

Il réfléchit et ajouta d'une voix *enrouée*: 15
– Ça prend du temps.

Il avait une peur *affreuse* de souffrir, il ne pensait qu'à ça: c'était de son âge. Moi, je n'y pensais plus beaucoup et ce n'était pas la crainte de souffrir qui me faisait transpirer. 20

Je me levai et je marchai jusqu'au tas de poussier. Tom *sursauta* et me jeta un regard *haineux*: je l'agaçais parce que mes souliers *craquaient*. Je me demandais si j'avais le visage aussi *terreux* que lui: je vis qu'il suait aussi. 25

---

paternel, qui semble venir d'un père
hocher la tête, secouer la tête
viser, diriger une arme sur quelque chose ou quelqu'en
enroué, rauque; rude
affreux, horrible
sursauter, avoir un sursaut, un mouvement brusque
haineux, très méchant
craquer, produire un bruit sec
terreux, qui a pris la couleur de la terre

Le ciel était superbe, aucune lumière ne se glissait dans ce coin sombre, et je n'avais qu'à lever la tête pour apercevoir la *Grande Ourse*.

Mais ça n'était plus comme auparavant: l'*avant-veille de* mon cachot de l'archevêché, je pouvais voir un grand morceau de ciel, et chaque heure du jour me rappelait un souvenir différent. Le matin, quand le ciel était d'un bleu dur et léger, je pensais à des plages au bord de l'Atlantique; à midi je voyais le soleil et je me rappelais un bar de Séville, où je buvais du *manzanilla* en mangeant des *anchois* et des *olives*. L'après-midi j'étais à l'ombre et je pensais à l'ombre profonde qui s'étend sur la moitié des arènes pendant que l'autre moitié *scintille* au soleil: c'était vraiment pénible de voir ainsi toute la terre *se refléter* dans le ciel.

Mais à présent je pouvais regarder en l'air tant que je voulais, le ciel ne m'*évoquait* plus rien. J'aimais mieux ça.

Je revins m'asseoir près de Tom.

Un long moment passa.

Tom se mit à parler, d'une voix basse. Il fallait toujours *qu'il parlât*, sans ça il ne se reconnaissait pas bien dans ses pensées. Je pense que c'est à moi qu'il s'adressait, mais il ne me regardait pas.

Sans doute avait-il peur de me voir comme j'étais,

---

l'avant-veille de, deux jours avant
le manzanilla, le vin sec blanc d'Andalousie
scintiller, briller
se refléter, avoir son image reproduite
évoquer, rappeler à la mémoire
qu'il parlât, qu'il parle

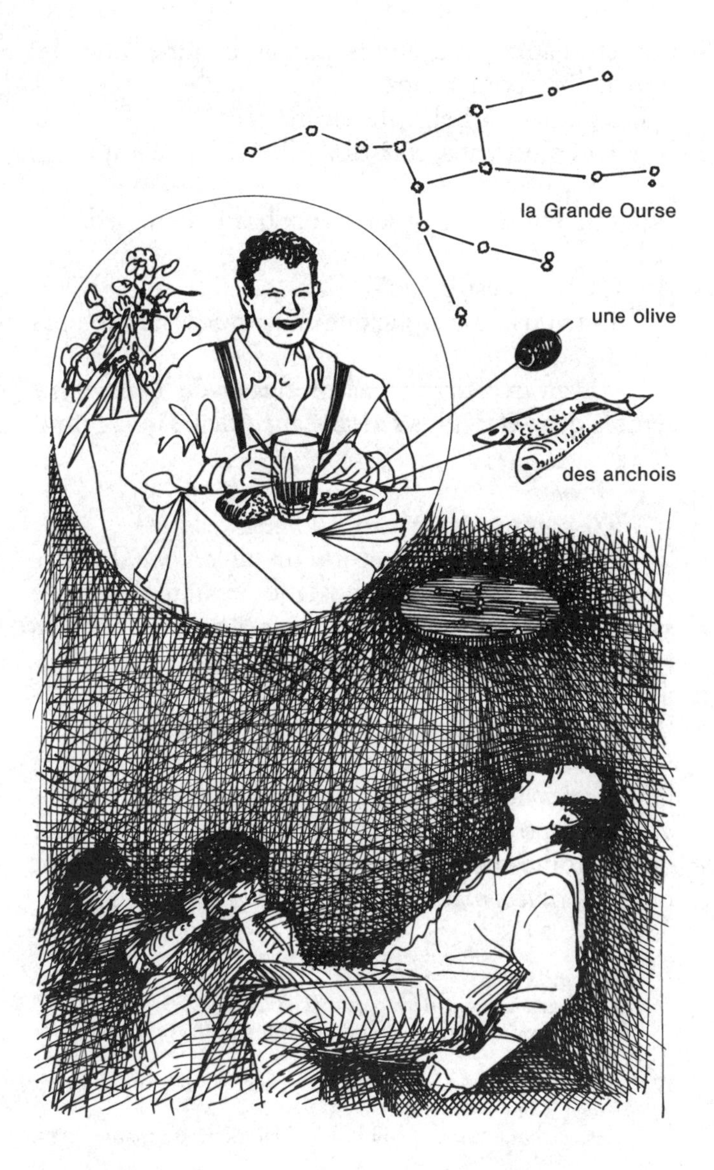
la Grande Ourse
une olive
des anchois

gris et suant: nous étions pareils et pires que des *miroirs* l'un pour l'autre.

Il regardait le Belge, le vivant.

– Tu comprends, toi? disait-il. Moi, je comprends
5 pas.

Je me mis aussi à parler à voix basse. Je regardais le Belge.

– Quoi, qu'est-ce qu'il y a?

– Il va nous arriver quelque chose que je ne peux pas
10 comprendre.

Il y avait une étrange odeur autour de Tom. Il me sembla que j'étais plus sensible aux odeurs qu'à l'ordinaire.

Je *ricanai*:
15 – Tu comprendras tout à l'heure.

– Ça n'est pas clair, dit-il d'un air *obstiné*. Je veux bien avoir du courage, mais il faudrait au moins que je sache, . . . Ecoute, on va nous amener dans la cour. Les types vont se ranger devant nous. Combien seront-
20 ils?

– Je ne sais pas. Cinq ou huit. Pas plus.

– Ça va. Ils seront huit. On leur criera: «*En joue*», et je verrai les huit fusils *braqués* sur moi. Je pense que je voudrai rentrer dans le mur, je pousserai le mur avec le
25 dos de toutes mes forces, et le mur résistera, comme dans les *cauchemars*. Tout ça, je peux me l'imaginer.

---

le miroir, la glace
ricaner, rire à demi, de façon méchante
obstiné, qui s'attache avec énergie à une manière d'agir ou de penser
En joue!, commandement militaire pour la position de tir
braquer, pointer; diriger
un cauchemar, un rêve pénible et qui fait peur; un mauvais rêve

Ah! Si tu savais comme je peux me l'imaginer.

– Ça va! lui dis-je, je me l'imagine aussi.

– Ça doit faire un mal de chien. Tu sais qu'ils visent les yeux et la bouche pour défigurer, ajouta-t-il méchamment. Je sens déjà les blessures; depuis une heure j'ai des douleurs dans la tête et dans le cou. Pas de vraies douleurs; c'est pis: ce sont les douleurs que je sentirai demain matin. Mais après?

Je comprenais très bien ce qu'il voulait dire, mais je ne voulais pas en avoir l'air.

Quant aux douleurs, moi aussi je les portais dans mon corps, comme une foule de petites *balafres*. Je ne pouvais pas *m'y faire*, mais j'étais comme lui, je n'y attachais pas d'importance.

– Après, dis-je rudement, tu *boufferas du pissenlit*. Il se mit à parler pour lui seul: il ne lâchait pas des yeux le Belge. Celui-ci n'avait pas l'air d'écouter. Je savais ce qu'il était venu faire; ce que nous pensions ne l'intéressait pas; il était venu regarder nos corps, des corps qui *agonisaient* tout vifs.

– C'est comme dans les cauchemars, disait Tom. On veut penser à quelque chose, on a tout le temps l'impression que ça y est, qu'on va comprendre, et puis ça glisse, ça vous échappe et ça retombe. Je me dis: après, il n'y aura plus rien. Mais je ne comprends pas ce que ça veut dire. Il y a des moments où j'y arrive presque ... et puis ça retombe, je recommence à

---

une balafre, une blessure; une coupure
se faire à, s'habituer à
bouffer du pissenlit, être mort
agoniser, être près de sa fin; passer les moments précédant immédiatement la mort

penser aux douleurs, aux balles, aux *détonations*. Je suis matérialiste, je te le jure; je ne deviens pas fou. Mais il y a quelque chose qui ne va pas. Je vois mon *cadavre*: ça n'est pas difficile, mais c'est **moi** qui le
5 vois, avec **mes** yeux. Il faudrait que j'arrive à penser... à penser que je ne verrai plus rien, que je n'entendrai plus rien et que tout le monde continuera pour les autres. On n'est pas faits pour penser ça, Pablo. Tu peux me croire: ça m'est déjà arrivé de veiller toute
10 une nuit en attendant quelque chose. Mais cette chose-là, ça n'est pas pareil: ça nous prendra par derrière, Pablo, et nous n'aurons pas pu nous y préparer.

– *La ferme*, lui dis-je, veux-tu que j'appelle un *confesseur*?

15 Il ne répondit pas. J'avais déjà remarqué qu'il *avait tendance à* faire le prophète et à m'appeler Pablo en parlant d'une *voix blanche*. Je n'aimais pas beaucoup ça; mais il paraît que tous les Irlandais sont ainsi. J'avais l'impression vague qu'il sentait l'urine.

20 Au fond je n'avais pas beaucoup de sympathie pour Tom et je ne voyais pas pourquoi, sous prétexte que nous allions mourir ensemble, j'aurais dû en avoir davantage.

Il y a des types avec qui ç'aurait été différent. Avec
25 Ramon Gris, par exemple. Mais, entre Tom et Juan, je me sentais seul. D'ailleurs, j'aimais mieux ça: avec

---

la détonation, l'explosion
le cadavre, le corps mort
la ferme, tais-toi
un confesseur, un prêtre à qui l'on déclare ses péchés
avoir tendance à, tendre à
une voix blanche, une voix faible et sans expression

Ramon, je *me serais* peut-être *attendri*. Mais j'étais terriblement dur, à ce moment-là, et je voulais rester dur.

Il continua à *mâchonner* des mots, avec une espèce de *distraction*. Il parlait sûrement pour s'empêcher de penser. Il sentait l'urine à plein nez comme les vieux 5 *prostatiques*.

Naturellement, j'étais de son avis, tout ce qu'il disait, j'aurais pu le dire: ça n'est pas naturel de mourir. Et, depuis que j'allais mourir, plus rien ne me semblait naturel, ni ce tas de poussier, ni le banc, ni la sale 10 gueule de Pedro. Seulement, ça me *déplaisait* de penser les mêmes choses que Tom. Et je savais bien que, tout au long de la nuit, à cinq minutes près, nous continuerions à penser les choses en même temps, à suer ou à *frissonner* en même temps. 15

Je le regardai de côté et, pour la première fois, il me parut étrange: il portait la mort sur sa figure. J'étais blessé dans mon orgueil: pendant vingt-quatre heures, j'avais vécu aux côtés de Tom, je l'avais écouté, je lui avais parlé, et je savais que nous n'avions rien de com- 20 mun. Et maintenant nous nous ressemblions comme des *frères jumeaux*, simplement parce que nous allions *crever* ensemble.

---

s'attendrir, avoir de la compassion; avoir pitié
mâchonner, prononcer d'une manière qu'on comprend mal
la distraction, le manque d'attention; l'inattention (f.)
un prostatique, un malade de la prostate (maladie fréquente chez les hommes âgés)
déplaire, le contraire de «plaire»
frissonner, trembler légèrement
des frères jumeaux, des frères nés d'un même *accouchement*
un accouchement, sortie de l'enfant (ici: des enfants) hors du corps de la mère
crever, mourir

3

Tom me prit la main, sans me regarder:

– Pablo, je me demande ... je me demande si c'est bien vrai qu'on *s'anéantit.*

Je dégageai ma main, je lui dis:

5 – Regarde entre tes pieds, salaud.

Il y avait une *flaque* entre ses pieds, et des gouttes tombaient de son pantalon.

– Qu'est-ce que c'est? dit-il *avec effarement.*

– Tu *pisses* dans ta *culotte*, lui dis-je.

10 – C'est pas vrai, dit-il furieux, je ne pisse pas, je ne sens rien.

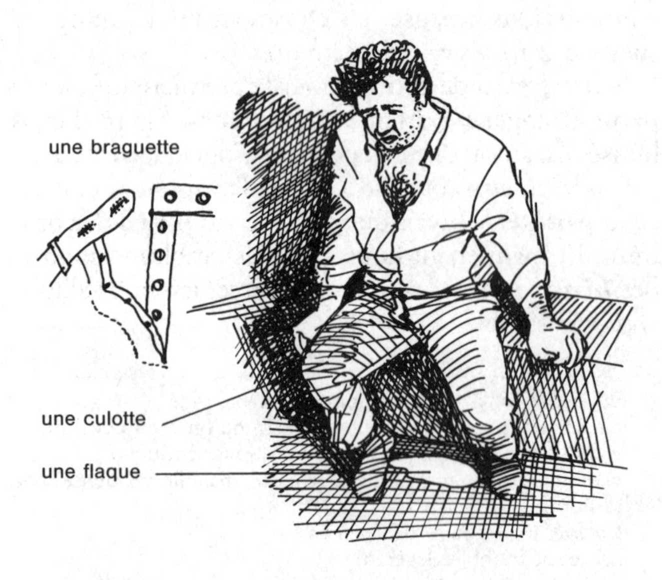

---

s'anéantir, disparaître complètement
avec effarement (*m.*), effrayé
pisser, uriner

Le Belge s'était approché. Il demanda avec une fausse *sollicitude*:

– Vous vous sentez souffrant?

Tom ne répondit pas. Le Belge regarda la flaque sans rien dire. 5

– Je ne sais pas ce que c'est, dit Tom d'un ton *farouche*, mais je n'ai pas peur. Je vous jure que je n'ai pas peur.

Le Belge ne répondit pas. Tom se leva et alla pisser dans un coin. Il revint en *boutonnant* sa *braguette*, se 10 rassit et *ne souffla plus mot.*

Le Belge prenait des notes.

Nous le regardions tous les trois parce qu'il était vivant. Il avait les gestes d'un vivant, les soucis d'un vivant; il grelottait dans cette cave, comme devaient 15 grelotter les vivants; il avait un corps obéissant et bien nourri. Nous autres, nous ne sentions plus guère nos corps, plus de la même façon, en tout cas.

J'avais envie de *tâter* mon pantalon, entre mes jambes, mais je n'osais pas; je regardais le Belge, *arqué* sur 20 ses jambes, maître de ses *muscles* et qui pouvait penser à demain.

Nous étions là, trois ombres *privées de* sang; nous le regardions et nous *sucions* sa vie comme des vampires.

---

la sollicitude, ici: l'intérêt (m.)
farouche, sauvage; violent
boutonner, fermer au moyen de boutons
ne pas souffler mot, ne rien dire
tâter, toucher attentivement avec la main
il est arqué, il est courbé; il est penché, voir illustration page 36
le muscle, voir illustration page 36
privé de quelque chose , à qui on a(vait) enlevé quelque chose
sucer, absorber; boire

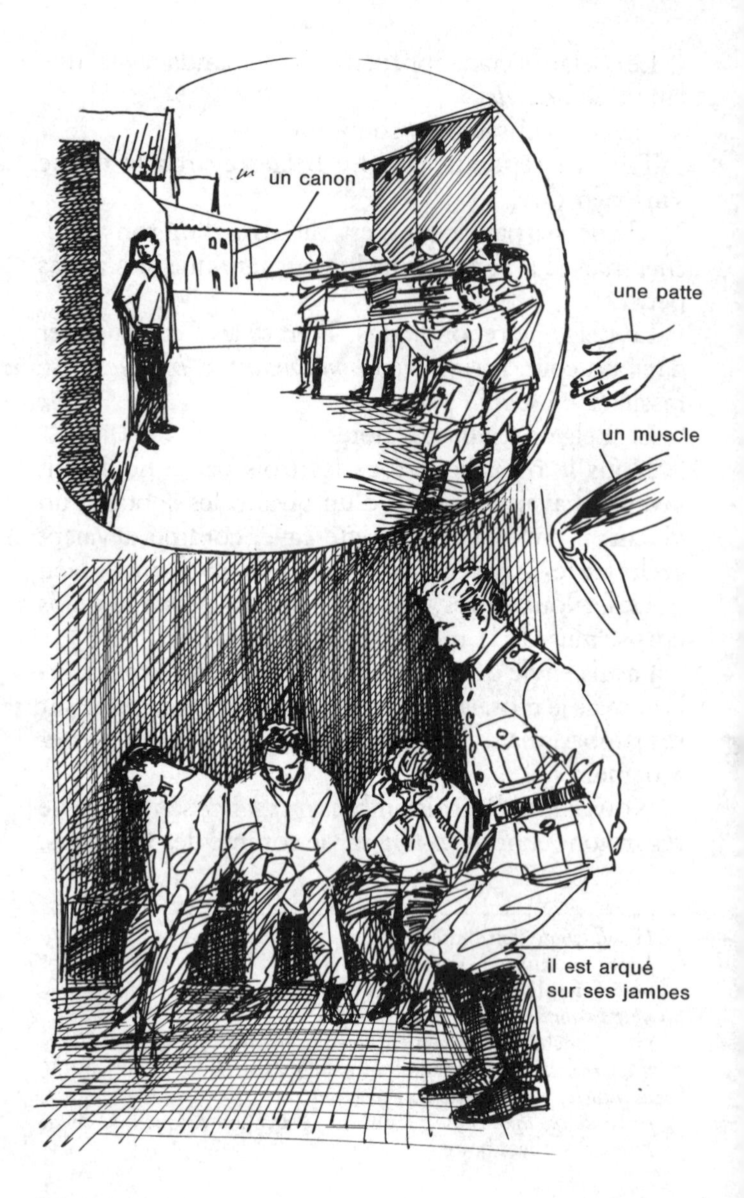
un canon
une patte
un muscle
il est arqué
sur ses jambes

Il finit par s'approcher du petit Juan. Voulut-il lui tâter la nuque pour quelque motif professionnel ou bien obéit-il à une impulsion *charitable*? S'il agit par *charité*, ce fut la seule et unique fois de toute la nuit. Il *caressa* le crâne et le cou du petit Juan. 5

Le petit Juan le laissa faire, sans le quitter des yeux, puis, tout à coup, il lui saisit la main et la regarda d'un drôle d'air.

Il tenait la main du Belge entre les deux siennes, et elles n'avaient rien de *plaisant*, les deux *pinces* grises 10 qui serraient cette main grasse et *rougeaude*.

Je me doutais de ce qui allait arriver et Tom devait s'en douter aussi: mais le Belge *n'y voyait que du feu*, il souriait paternellement.

Au bout d'un moment, le petit porta la grosse *patte* 15 rouge à sa bouche et voulut la mordre. Le Belge se dégagea vivement et recula jusqu'au mur en *trébuchant*.

Pendant une seconde il nous regarda avec horreur, il devait comprendre tout d'un coup que nous n'étions 20 pas des hommes comme lui.

Je me mis à rire, et l'un des gardiens sursauta. L'autre s'était endormi, ses yeux, grands ouverts, étaient blancs.

---

charitable, le contraire de «égoïste»
la charité, le contraire de «égoïsme»
caresser, toucher en signe de tendresse
plaisant, agréable; qui fait plaisir
les pinces (*f.*), ici: les mains
rougeaud, qui est assez rouge
n'y voir que du feu, ne rien remarquer
trébucher, faire un faux pas; perdre soudain l'équilibre

Je me sentais *las* et *surexcité*, à la fois. Je ne voulais plus penser à ce qui arriverait à l'*aube*, à la mort. *Ça ne rimait à rien*, je ne rencontrais que des mots ou du vide. Mais dès que j'essayais de penser à autre chose, je
5 voyais des *canons* de fusil braqués sur moi.

J'ai peut-être vécu vingt fois de suite mon exécution; une fois même, j'ai cru que ça y était *pour de bon*: j'avais dû m'endormir une minute. Ils me traînaient vers le mur, et *je me débattais*; je leur demandais par-
10 don.

Je me réveillai en sursaut et je regardai le Belge. J'avais peur d'avoir crié dans mon sommeil. Mais il *se lissait* la moustache, il n'avait rien remarqué.

Si j'avais voulu, je crois que j'aurais pu dormir un
15 moment: je veillais depuis quarante-huit heures, j'étais à bout.

Mais je n'avais pas envie de perdre deux heures de vie: ils seraient venus me réveiller à l'aube, je les aurais suivis, *hébété* de sommeil, et j'aurais *clamecé* sans faire
20 «ouf«; je ne voulais pas de ça, je ne voulais pas mourir comme une bête, je voulais comprendre. Et puis, je craignais d'avoir des cauchemars.

Je me levai, je me promenai de long en large et, pour me changer les idées, je me mis à penser à ma vie pas-
25 sée.

---

las, fatigué
surexcité, extrêmement agité; très nerveux
l'aube (*f.*), première lueur du soleil levant
cela (= ça) ne rime à rien, cela n'a aucun sens
un canon, voir illustration page 36
pour de bon, réellement; définitivement
se débattre, lutter; résister
hébété, rendu stupide; abruti
clamecer, mourir

Une foule de souvenirs me revinrent *pêle-mêle*. Il y en avait de bons et de mauvais – ou du moins je les appelais comme ça avant. Il y avait des visages et des histoires.

Je revis le visage d'un petit *novillero* qui *s'était fait encorner* à Valence pendant la *Feria*, celui d'un de mes oncles, celui de Ramon Gris. 5

Je me rappelai des histoires: comment j'avais chômé pendant trois mois en 1926, comment j'avais manqué crever de faim. 10

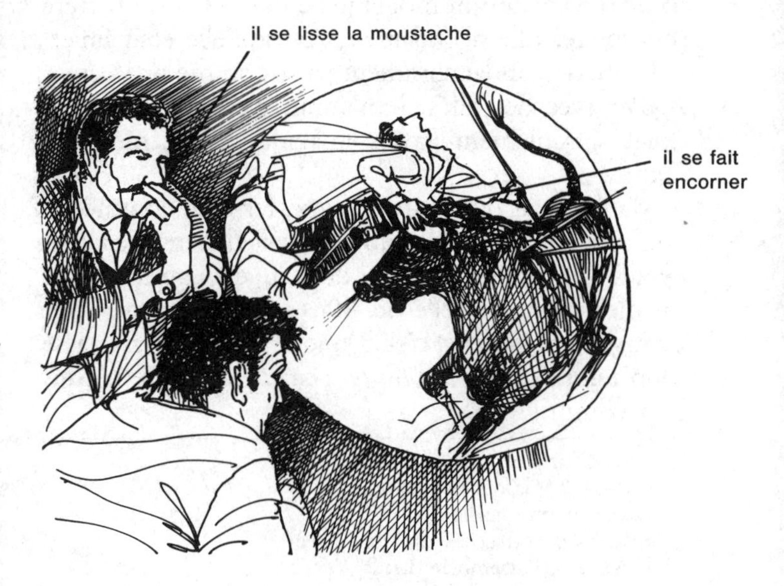

---

pêle-mêle, dans une grande confusion; dans un désordre complet
un novillero (mot espagnol), un «torero» de deuxième catégorie
la Feria (mot espagnol), la foire

Je me souvins d'une nuit que j'avais passée sur un banc à Grenade: je n'avais pas mangé depuis trois jours, j'étais *enragé*, je ne voulais pas crever. Ça me fit sourire. Avec quelle *âpreté* je courais après le bonheur, 5 après les femmes, après la liberté. Pour quoi faire? J'avais voulu *libérer* l'Espagne, j'admirais Pi y Margall, j'avais *adhéré au* mouvement anarchiste, j'avais parlé dans des *réunions* publiques: je prenais tout au sérieux, comme si j'avais été *immortel.*

10 A ce moment-là, j'eus l'impression que je tenais toute ma vie devant moi et je pensai: – C'est un sacré mensonge. Elle ne valait rien puisqu'elle était finie.

Je me demandai comment j'avais pu me promener, *rigoler* avec des filles: je n'aurais pas remué le petit 15 doigt si seulement j'avais imaginé que je mourrais comme ça.

Ma vie était devant moi, *close*, fermée, comme un sac, et pourtant tout ce qu'il y avait dedans était *inachevé.* Un instant, j'essayai de la juger. J'aurais voulu 20 me dire: c'est une belle vie. Mais on ne peut pas porter de jugement sur elle, c'était une *ébauche*; j'avais passé mon temps à *tirer des traites pour l'éternité*, je n'avais rien compris.

---

enragé, furieux
l'âpreté (f.), la dureté; la rudesse
libérer, mettre en liberté
adhérer à, se déclarer d'accord avec
la réunion, l'assemblée (f.); la séance
immortel, qui ne doit jamais mourir
rigoler, rire; s'amuser
clos, fermé
inachevé, incomplet
une ébauche, ici: un commencement
tirer des traites pour l'éternité, ici: espérer prolonger la vie pour toujours

Je ne regrettais rien: il y avait des tas de choses que j'aurais pu regretter, le goût du manzanilla ou bien les bains que je prenais dans une petite *crique* de Cadix; mais la mort avait tout *désenchanté*.

Le Belge eut une fameuse idée, soudain. 5

– Mes amis, nous dit-il, je puis me charger – sous réserve que l'administration militaire y *consentira* – de porter un mot de vous, un souvenir aux gens qui vous aiment.

Tom *grogna*: 10

– J'ai personne.

Je ne répondis rien. Tom attendit un instant, puis me considéra avec curiosité.

– Tu ne fais rien dire à Concha?

– Non. 15

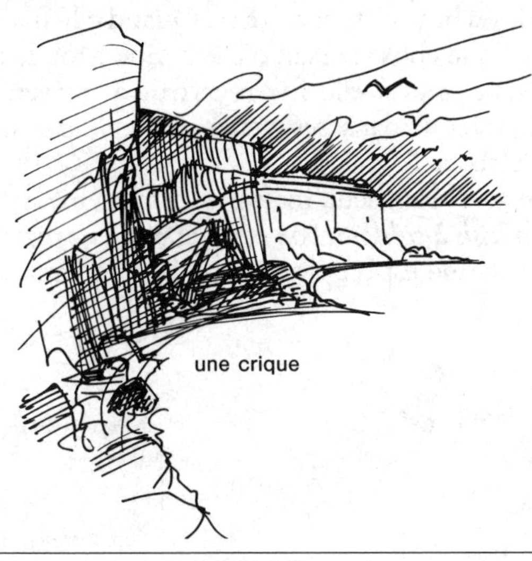

---

désenchanter, faire cesser le charme
consentir à, accepter
grogner, protester sourdement; murmurer

Je détestais cette *complicité* tendre: c'était ma faute, j'avais parlé de Concha la nuit précédente, j'aurais dû me retenir. J'étais avec elle depuis un an. La veille encore, je me serais coupé un bras à coups de *hache*
5 pour la revoir cinq minutes.

C'est pour ça que j'en avais parlé, c'était plus fort que moi.

A présent je n'avais plus envie de la revoir, je n'avais plus rien à lui dire. Je n'aurais même pas voulu la ser-
10 rer dans mes bras: j'avais horreur de mon corps parce qu'il était devenu gris et qu'il suait – et je n'étais pas sûr de ne pas avoir horreur du sien.

Concha pleurerait quand elle apprendrait ma mort; pendant des mois, elle n'aurait plus de goût à vivre.
15 Mais tout de même c'était moi qui allais mourir. Je pensai à ses beaux yeux tendres. Quand elle me regardait, quelque chose passait d'elle à moi. Moi, je pensai que c'était fini: si elle me regardait **à présent**, son regard resterait dans ses yeux, il n'irait pas jusqu'à
20 moi. J'étais seul.

Tom aussi était seul, mais pas de la même manière. Il s'était *assis à califourchon* et il s'était mis à regarder le banc avec une espèce de sourire, il avait l'air étonné.

une hache

un chevet

---

la complicité, l'accord (m.); ici: la sympathie entre deux camarades

Il avança la main et toucha le bois avec précaution, comme s'il avait peur de casser quelque chose, ensuite il retira vivement sa main et frissonna.

Je ne me serais pas amusé à toucher le banc, si j'avais été Tom; c'était encore de la comédie d'Irlandais, mais 5 je trouvais aussi que les objets avaient un drôle d'air: ils étaient plus effacés, moins *denses* qu'à l'ordinaire.

Il suffisait que je regarde le banc, la lampe, le tas de poussier, pour que je sente que j'allais mourir. Naturellement, je ne pouvais pas clairement penser ma 10 mort, mais je la voyais partout, sur les choses, dans la façon dont les choses avaient reculé et se tenaient à distance, discrètement, comme des gens qui parlent bas au *chevet* d'un mourant.

C'était sa mort que Tom venait de toucher sur le 15 banc.

il est assis à califourchon sur le banc

---

dense, ici: concret

Dans l'état où j'étais, si l'on était venu m'annoncer que je pouvais rentrer tranquillement chez moi, qu'on me *laissait la vie sauve*, ça m'aurait laissé froid: quelques heures ou quelques années d'attente, c'est tout pareil, quand on a perdu l'illusion d'être *éternel*.

Je ne *tenais* plus *à* rien, en un sens, j'étais calme. Mais c'était un calme horrible – à cause de mon corps: mon corps, je voyais avec ses yeux, j'entendais avec ses oreilles, mais ça n'était plus moi; il suait et tremblait tout seul, et je ne le reconnaissais plus. J'étais obligé de le toucher et de le regarder pour savoir ce qu'il devenait, comme si ç'avait été le corps d'un autre.

Par moments, je le sentais encore, je sentais des glissements, des *dégringolades*, comme lorsqu'on est dans un avion qui *pique du nez*, ou bien je sentais battre mon coeur. Mais ça ne me rassurait pas: tout ce qui venait de mon corps avait un sale air *louche*. La plupart du temps, il se taisait, il se tenait *coi*, et je ne sentais

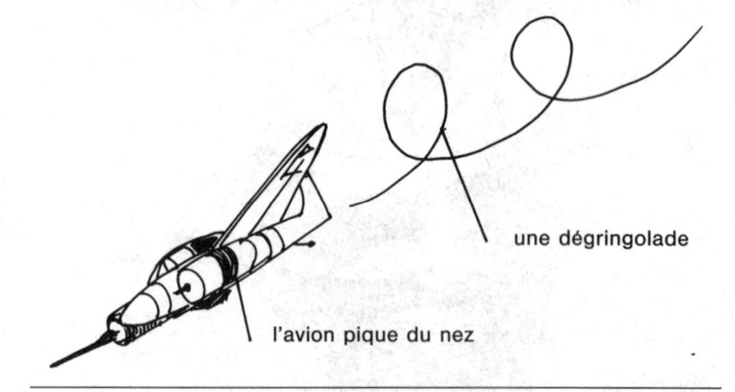

laisser la vie sauve à quelqu'en, laisser quelqu'un en vie
éternel, sans fin; qui n'aura pas de fin
tenir à quelque chose, vouloir garder quelque chose
louche, suspect; le contraire de «honnête»
coi, tranquille et silencieux

plus rien qu'une espèce de *pesanteur*, une présence *immonde* contre moi.

J'avais l'impression d'être lié à une *vermine* énorme. A un moment, je tâtai mon pantalon et je sentis qu'il était mouillé de sueur ou d'urine, mais j'allai pisser sur le tas de charbon, par précaution. 5

Le Belge tira sa montre et la regarda.

Il dit:

– Il est trois heures et demie.

Le salaud! Il avait dû le faire exprès. 10

Tom sauta en l'air: nous ne nous étions pas encore aperçus que le temps *s'écoulait*; la nuit nous entourait comme une masse *informe* et sombre, je ne me rappelais même plus qu'elle avait commencé.

Le petit Juan se mit à crier. Il *se tordait les mains*, il *suppliait*: 15

– Je ne veux pas mourir, je ne veux pas mourir.

Il courut à travers toute la cave en levant les bras en l'air, puis il s'abattit sur une des paillasses et *sanglota*.

Tom le regardait avec des yeux *mornes* et n'avait 20

de la vermine

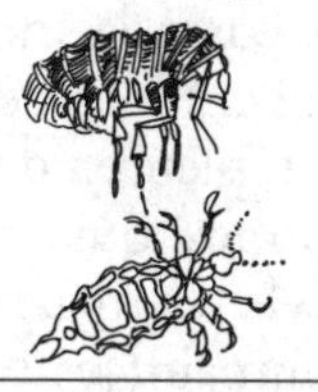

---

la pesanteur, caractère de ce qui pèse lourd
immonde, dégoûtant; sale
s'écouler, passer
informe, qui n'a pas de forme précise
se tordre les mains, voir illustration page 46
supplier, demander quelque chose en insistant beaucoup
sangloter, avoir une crise de larmes, voir aussi illustration page 46
morne, sombre; triste

même plus envie de le consoler. Par le fait ce n'était pas la peine: le petit faisait plus de bruit que nous, mais il était moins atteint: il était comme un malade qui se défend contre son mal par de la fièvre. Quand il n'y a
5 plus de fièvre, c'est beaucoup plus grave.

Il pleurait: je voyais bien qu'il avait pitié de lui-même; il ne pensait pas à la mort.

Une seconde, une seule seconde, j'eus envie de pleurer moi aussi, de pleurer de pitié sur moi.
10 Mais ce fut le contraire qui arriva: je jetai un coup d'oeil sur le petit, je vis ses maigres épaules sanglotantes et je me sentis inhumain; je ne pouvais avoir pitié ni des autres ni de moi-même.

Je me dis:
15 – Je veux mourir proprement.

Tom s'était levé, il se plaça juste en dessous de l'ouverture ronde et se mit à *guetter* le jour.

---

guetter, observer

Moi, j'étais *buté*, je voulais mourir proprement et je ne pensais qu'à ça.

Mais, par en-dessous, depuis que le médecin nous avait dit l'heure, je sentais le temps qui *filait*, qui coulait goutte à goutte. 5

Il faisait encore *noir* quand j'entendis la voix de Tom:

– Tu les entends.

– Oui.

Des types marchaient dans la cour. 10

– Qu'est-ce qu'ils viennent *foutre* ? Ils ne peuvent quand même pas tirer dans le noir.

Au bout d'un moment nous n'entendîmes plus rien.

Je dis à Tom: 15

– Voilà le jour.

Pedro se leva *en bâillant* et vint souffler la lampe. Il dit à son copain:

il bâille

---

buté, qui refuse de changer d'idée; obstiné
filer, aller vite
il fait noir, il fait obscur; il n'y a pas de lumière
foutre, faire

– *Mince de froid.*

La cave était devenue toute grise.

Nous entendîmes des coups de feu *dans le lointain.*

– Ça commence, dis-je à Tom, ils doivent faire ça
5 dans la cour de derrière.

Tom demanda au médecin de lui donner une cigarette. Moi, je n'en voulais pas; je ne voulais ni cigarette ni alcool.

A partir de cet instant, ils ne cessèrent pas de tirer.

10 – Tu te rends compte? dit Tom.

Il voulait ajouter quelque chose, mais il se tut, il regarda la porte. La porte s'ouvrit, et un lieutenant entra avec quatre soldats. Tom laissa tomber sa cigarette.

15 – Steinbock?

Tom ne répondit pas. Ce fut Pedro qui le désigna.

– Juan Mirbal?

– C'est celui qui est sur la paillasse.

– Levez-vous, dit le lieutenant.

20 Juan ne bougea pas. Deux soldats le prirent aux *aisselles* et le mirent sur ses pieds. Mais dès qu'ils l'eurent lâché, il retomba.

Les soldats hésitèrent.

– Ce n'est pas le premier qui se trouve mal, dit le
25 lieutenant, vous n'avez qu'à le porter, vous deux; on s'arrangera là-bas.

Il se tourna vers Tom:

– Allons, venez.

Tom sortit entre deux soldats. Deux autres soldats

---

mince de froid!, ah! qu'il fait froid!
dans le lointain, au loin

suivaient, ils portaient le petit par les aisselles et par les *jarrets*.

Il n'était pas *évanoui*; il avait les yeux grands ouverts, et des larmes coulaient le long de ses joues.

Quand je voulus sortir, le lieutenant m'arrêta: 5

– C'est vous, Ibbieta?

– Oui.

– Vous allez attendre ici: on viendra vous chercher tout à l'heure.

Ils sortirent. Le Belge et les deux *geôliers* sortirent 10 aussi, je restai seul.

---

s'évanouir, perdre connaissance
un geôlier, un homme qui garde les prisonniers; un concierge de prison

Je ne comprenais pas ce qui m'arrivait, mais j'aurais mieux aimé qu'ils en finissent tout de suite.

J'entendais les salves à *intervalles* presque réguliers; à chacune d'elles, je *tressaillais.*

5 J'avais envie de hurler et de m'arracher les cheveux. Mais je serrais les dents et j'enfonçais les mains dans mes poches parce que je voulus rester propre.

---

un intervalle, espace de temps qui sépare deux choses
tressaillir, frissonner; sursauter

4

Au bout d'une heure, on vint me chercher et on me conduisit au premier étage, dans une petite pièce qui sentait le cigare et dont la chaleur me parut *suffocante*.

Il y avait là deux officiers qui fumaient, assis dans des fauteuils, avec des papiers sur leurs genoux.

– Tu t'appelles Ibbieta?

– Oui.

– Où est Ramon Gris?

– Je ne sais pas.

Celui qui m'interrogeait était petit et gros. Il avait des yeux durs derrière ses lorgnons.

Il me dit:

– Approche.

Je m'approchai. Il se leva et me prit par les bras en me regardant d'un air à me faire rentrer sous terre. En même temps il me *pinçait les biceps* de toutes ses forces. Ça n'était pas pour me faire mal, c'était le grand jeu: il voulait me dominer. Il jugeait nécessaire aussi de m'envoyer son souffle *pourri* en pleine figure.

Nous restâmes un moment comme ça, moi, ça me donnait plutôt envie de rire. Il en faut beaucoup pour intimider un homme qui va mourir: ça ne prenait pas.

Il me repoussa violemment et se rassit.

Il dit:

– C'est ta vie contre la sienne. On te laisse la vie sauve si tu nous dis où il est.

---

suffocant, qui gêne ou empêche la respiration
pincer les biceps, voir illustration page 52
pourri, ici: qui sent mauvais; de mauvaise odeur

Ces deux types *chamarrés* avec leurs *cravaches* et leurs bottes, c'étaient tout de même des hommes qui allaient mourir. Un peu plus tard que moi, mais pas beaucoup plus.

5 Et ils s'occupaient à chercher des noms sur leurs *paperasses*, ils couraient après d'autres hommes pour les *emprisonner* ou les supprimer; ils avaient des opinions sur l'*avenir* de l'Espagne et sur d'autres sujets.

Leurs petites activités me paraissaient *choquantes* et

---

chamarré, ici: portant des décorations, des médailles
les paperasses (f.), les papiers
emprisonner, mettre en prison
l'avenir (m.), le temps à venir
choquant, qui étonne désagréablement; déplacé

burlesques: je n'arrivais plus à me mettre à leur place, il me semblait qu'ils étaient fous.

Le petit gros me regardait toujours, *en fouettant* ses bottes de sa cravache. Tous ses gestes étaient *calculés* pour lui donner l'*allure* d'une bête vive et *féroce*. 5

– Alors? C'est compris?

– Je ne sais pas où est Gris, répondis-je. Je croyais qu'il était à Madrid.

L'autre officier leva sa main pâle avec *indolence*. Cette indolence aussi était calculée. 10

il fouette ses bottes

---

burlesque, comique
calculé, ici: le contraire de «naturel»
l'allure (f.), le comportement
féroce, sauvage
l'indolence (f.), l'indifférence; la nonchalance

Je voyais tous leurs petits *manèges* et j'étais *stupéfait qu'il se trouvât* des hommes pour s'amuser à ça.

– Vous avez un quart d'heure pour réfléchir, dit-il lentement. Emmenez-le à la *lingerie*, vous le ramènerez dans un quart d'heure. S'il *persiste à* refuser, on l'exécutera sur-le-champ.

la lingerie

le manège, l'intrigue (f.); la manoeuvre
stupéfait, très surpris
qu'il se trouvât, qu'il se trouve
persister à, s'obstiner à; s'attacher avec énergie à

Ils savaient ce qu'ils faisaient: j'avais passé la nuit dans l'attente; après ça, ils m'avaient encore fait attendre une heure dans la cave, pendant qu'on fusillait Tom et Juan, et maintenant ils m'enfermaient dans la lingerie; ils avaient dû préparer leur coup depuis la veille. Ils se disaient que les *nerfs* s'usent à la longue et ils espéraient m'avoir comme ça. Ils se trompaient bien. 5

Dans la lingerie je m'assis sur un *escabeau*, parce que je me sentais très faible et je me mis à réfléchir. Mais pas à leur proposition. 10

Naturellement je savais où était Gris: il se cachait chez ses cousins, à quatre kilomètres de la ville.

Je savais aussi que je ne révélerais pas sa *cachette*, sauf s'ils me torturaient (mais ils n'avaient pas l'air d'y songer). 15

Tout cela était parfaitement réglé, définitif, et ne m'intéressait *nullement*. Seulement, j'aurais voulu comprendre les raisons de ma conduite. Je préférerais plutôt crever que de livrer Gris. Pourquoi? Je n'aimais plus Ramon Gris. Mon amitié pour lui était morte un peu avant l'aube, en même temps que mon amour pour Concha, en même temps que mon désir de vivre. Sans doute je l'estimais toujours; c'était un dur. Mais ça n'était pas pour cette raison que j'acceptais de mourir à sa place; sa vie n'avait pas plus de valeur que la mienne; aucune vie n'avait de valeur. 20 25

On allait coller un homme contre un mur et lui tirer

---

les nerfs (f.), le système nerveux
la cachette, l'endroit où quelqu'un s'est caché
nullement, pas du tout; en aucune façon

dessus jusqu'à ce qu'il en crève: *que ce fût* moi ou Gris ou un autre, c'était pareil. Je savais bien qu'il était plus utile que moi à la *cause* de l'Espagne, mais *je me foutais de* l'Espagne et de l'anarchie: c'était de l'*obstination*.
5 Je pensai:
– *Faut-il être têtu*!
Et une drôle de *gaieté* m'*envahit*.
Ils vinrent me chercher et me ramenèrent auprès des deux officiers. Un rat partit sous nos pieds et ça
10 m'amusa.
Je me tournai vers un des phalangistes et je lui dis:
– Vous avez vu le rat?

---

que ce fût, que ce soit
la cause, ici: les intérêts
se foutre de, se moquer de
l'obstination (f.), conduite d'une personne obstinée
faut-il être ...!, comme il faut être ...!
têtu, obstiné
la gaieté, la joie
envahir, s'emparer de; se rendre maître de

Il ne répondit pas. Il était sombre, il se prenait au sérieux.

Moi, j'avais envie de rire, mais je me retenais parce que j'avais peur, si je commençais, de ne plus pouvoir m'arrêter. 5

Le phalangiste portait des moustaches. Je lui dis encore:

– Il faut couper tes moustaches, *ballot*.

Je trouvais drôle *qu'il laissât de son vivant* les *poils* envahir sa figure. 10

Il me donna un coup de pied sans grande *conviction*, et je me tus.

– Eh bien, dit le gros officier, tu as réfléchi?

Je les regardai avec curiosité comme des insectes d'une espèce très rare. 15

Je leur dis:

– Je sais où il est. Il est caché dans le cimetière. Dans un *caveau* ou dans la *cabane* des *fossoyeurs*.

C'était pour leur faire une *farce*. Je voulais les voir se lever, *boucler* leurs *ceinturons* et donner des ordres 20 d'un air *affairé*.

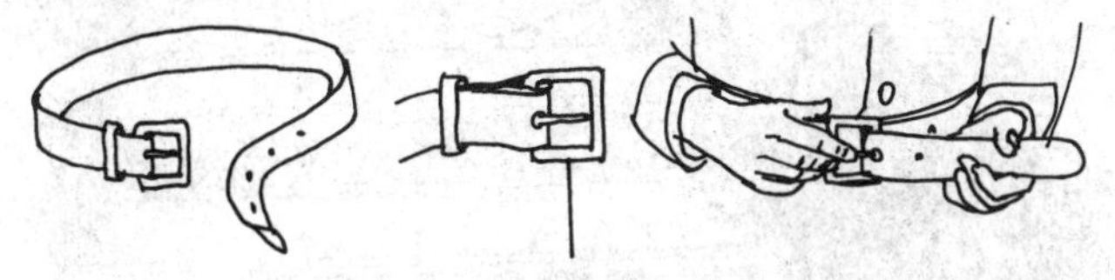

un ceinturon   une boucle   il boucle un ceinturon

---

un ballot, un imbécile; un idiot
qu'il laissât, qu'il laisse
de son vivant, pendant sa vie
la conviction, ici: la fermeté
un caveau, une cabane, un fossoyeur, voir illustration page 58
une farce, une comédie
affairé, très occupé

une cabane
un fossoyeur
un caveau

Ils sautèrent sur leurs pieds.

– Allons-y. Moles, allez demander quinze hommes au lieutenant Lopez.

– Toi, me dit le petit gros, si tu as dit la vérité, je n'ai qu'une parole. Mais tu le paieras cher si *tu t'es fiché de* nous. 5

Ils partirent dans un *brouhaha*, et j'attendis *paisiblement* sous la garde des phalangistes.

De temps en temps je souriais parce que je pensais à la tête qu'ils allaient faire. Je me sentais abruti et *malicieux*. 10

Je les imaginais, soulevant les *pierres tombales*, ouvrant une à une les portes des caveaux. Je me représentais la situation comme si j'avais été un autre: ce prisonnier obstiné à faire le héros, ces graves phalangistes avec leurs moustaches et ces hommes en uniforme qui couraient entre les *tombes*; c'était d'un comique *irrésistible*. 15

un pierre tombale

une tombe

---

se ficher de, se moquer de; se foutre de
un brouhaha, un bruit de voix sourd
paisiblement, tranquillement
malicieux, méchant
irrésistible, auquel on ne peut résister

5

Au bout d'une demi-heure le petit gros revint seul. Je pensai qu'il venait donner l'ordre de m'exécuter.

Les autres devaient être restés au cimetière.

L'officier me regarda. Il n'avait pas du tout l'air *penaud*.

– Emmenez-le dans la grande cour avec les autres, dit-il. A la fin des opérations militaires un tribunal régulier décidera de son sort.

Je crus que je n'avais pas compris. Je lui demandai:

– Alors on ne me ... on ne me fusillera pas?

– Pas maintenant en tout cas. Après, ça ne me regarde plus.

Je ne comprenais toujours pas.

Je lui dis:

– Mais pourquoi?

Il haussa les épaules sans répondre, et les soldats m'emmenèrent.

Dans la grande salle il y avait une centaine de prisonniers, des femmes, des enfants, quelques *vieillards*.

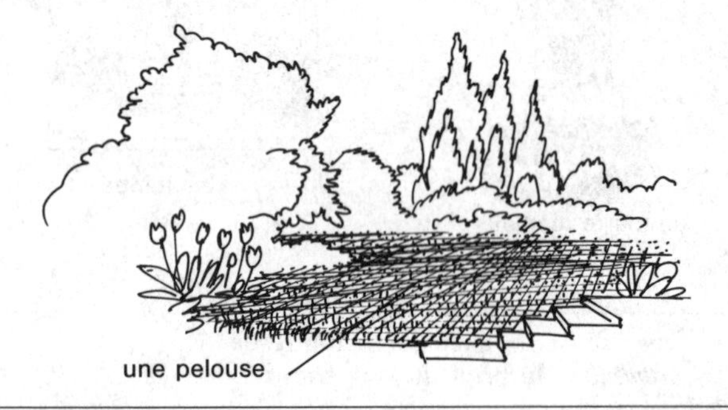

---

penaud, confus; perplexe
un vieillard, un vieil homme

Je me mis à tourner autour de la *pelouse* centrale, j'étais hébété.

A midi, on nous fit manger au *réfectoire*. Deux ou trois types m'*interpellèrent*. Je devais les connaître, mais je ne leur répondis pas: je ne savais même plus où j'étais. 5

Vers le soir, on poussa dans la cour une dizaine de prisonniers nouveaux. Je reconnus Garcia, le boulanger.

Il me dit: 10

dans le réfectoire

---

interpeller quelqu'un, adresser brusquement la parole à quelqu'un

– Sacré *veinard*. Je ne pensais pas te revoir vivant.
– Ils m'avaient condamné à mort, dis-je, et puis ils ont changé d'idée. Je ne sais pas pourquoi.
– Ils m'ont arrêté à deux heures, dit Garcia.
5 – Pourquoi?
Garcia ne faisait pas de politique.
– Je ne sais pas, dit-il. Ils arrêtent tous ceux qui ne pensent pas comme eux.
Il baissa la voix.
10 – Ils ont eu Gris.
Je me mis à trembler.
– Quand?
– Ce matin. Il avait *fait le con*. Il a quitté son cousin mardi parce qu'ils avaient eu des mots. Il ne manquait
15 pas de types qui l'auraient caché, mais il ne voulait plus rien devoir à personne. Il a dit:
– Je me serais caché chez Ibbieta, mais puisqu'ils l'ont pris, j'irai me cacher au cimetière.
– Au cimetière?
20 – Oui. C'était *con*. Naturellement, ils y ont passé ce matin, ça devait arriver. Ils l'ont trouvé dans la cabane des fossoyeurs. Il leur a tiré dessus, et ils l'ont *descendu*.
– Au cimetière!
25 Tout se mit à tourner et je me retrouvai assis par terre: je riais si fort que les larmes me vinrent aux yeux.

---

un veinard, qui a de la chance
faire le con, se conduire d'une manière absurde
con, imbécile; idiot
descendre quelqu'un, tuer quelqu'un

Questions

1. Pourquoi est-ce que Pablo Ibbieta (le personnage principal et le «je» de l'histoire) est en même temps abruti et en bonne disposition?
2. Les types derrière la table posent deux questions à Pablo. Lesquelles?
3. Pourquoi est-ce que Paplo Ibbieta ne regrette pas le cachot où il avait passé les cinq jours précédents?
4. Quelle est la fonction de l'ouverture ronde qu'on avait pratiquée au plafond de la cave?
5. Pourquoi est-ce que Tom Steinbock se met à faire de la gymnastique?
6. Pourquoi est-ce que les phalangistes avaient pris leurs vêtements aux prisonniers?
7. Qu'est-ce que le commandant phalangiste apprend à Tom Steinbock d'abord, puis aussi à Juan Mirbal et à Pablo?
8. Pourquoi est-ce que Pablo n'aime pas Juan Mirbal, le «petit»?

Activités

9. Décrivez l'aspect des deux types qui étaient assis derrière la table et qui regardaient des papiers.
10. A un moment donné, le gardien dit à Tom Steinbock que celui-ci apprendra la sentence dans sa cellule. Qu'est-ce qu'il a voulu dire en réalité?

11. Résumez en une ou deux phrases l'histoire cruelle des événements qui se seraient passés à Saragosse, selon Tom Steinbock.
12. Mettez-vous à la place de Pablo et inventez un petit dialogue avec Tom Steinbock à propos du sort qu'on a réservé à Juan Mirbal.

Questions

1. Les deux gardiens qui entrent dans la cave des prisonniers sont suivis d'un homme blond en uniforme. Qui est cet homme et qu'est-ce qu'il vient faire?
2. Quel est le sens de l'expression «avoir autant d'intelligence qu'une bûche»?
3. Pourquoi est-ce que le médecin belge tire sa montre après avoir pris le poignet à Juan Mirbal?
4. Pablo Ibbieta est trempé de sueur, et cela en plein hiver. Quelle en est la cause?
5. Dans le cachot de l'archevêché, le ciel rappelle à Pablo différents souvenirs. Quels sont les souvenirs qui lui viennent à midi?
6. Pourquoi est-ce que Tom Steinbock doit parler tout le temps?
7. Tom a des douleurs dans la tête et dans le cou. Quelle est la cause de ces douleurs?
8. Pourquoi est-ce que Pablo est blessé dans son orgueil en regardant Tom?

Activités

9. Expliquez en une ou deux phrases pourquoi brusquement Pablo Ibbieta cesse de s'intéresser au médecin belge.

10. Mettez-vous à la place de Pablo et inventez le petit monologue qu'il pourrait prononcer en voyant que la main du médecin descend «sournoisement» le long du bras de Juan Mirbal.

11. Expliquez en une ou deux phrases pourquoi Pablo ricane en disant à Tom: – Tu comprendras tout à l'heure.

12. Expliquez en une ou deux phrases pourquoi Pablo se sent seul entre Tom et Juan.

Questions

1. Pourquoi est-ce que le médecin belge prend des notes dans la cave des prisonniers?

2. A quel égard est-ce que Pablo Ibbieta compare les prisonniers aux vampires?

3. Pourquoi est-ce que Pablo parle des «pattes» plutôt que des «mains» du médecin belge?

4. Pablo se souvient de bien des choses d'autrefois, entre autres du visage d'un petit «novillero». A quel événement est-ce qu'il pense alors?

5. Pablo sait qu'il a couru après la liberté. De quelle liberté s'agit-il?

6. Pablo aurait pu regretter «des tas de choses». Pourquoi est-ce que cela n'est pas le cas?

7. Qu'est-ce que Pablo voit partout, même sur les choses?
8. De quelle façon est-ce que Juan Mirbal est emmené enfin par deux soldats pour être fusillé?

Activités

9. Pablo avait parlé de Concha devant Tom Steinbock. Mais à présent il n'a même plus envie de la revoir. Expliquez en quelques phrases ce changement d'attitude.
10. Dites le monologue de Pablo maintenant qu'il a perdu «l'illusion d'être éternel».
11. A un moment donné, le médecin belge regarde sa montre pour dire l'heure qu'il est. Expliquez pourquoi Pablo est tout à fait sûr maintenant d'avoir affaire à un «salaud».
12. Pablo pense que Juan Mirbal pleure de pitié sur lui-même. Mettez-vous à la place de Juan et dites en quelques phrases ce qu'il pense.

Questions

1. Pourquoi est-ce qu'un des officiers phalangistes pince de toutes ses forces les biceps de Pablo Ibbieta?
2. Qu'est-ce que l'officier lui propose alors?
3. Pourquoi est-ce qu'on lui accorde encore un quart d'heure d'attente?

4. Pablo estime que les officiers avaient dû «préparer leur coup» depuis la veille. Qu'est-ce qui lui a inspiré cette idée?
5. Dites pourquoi l'amour de Pablo pour Concha et son amitié pour Ramon Gris ont disparu depuis quelque temps.
6. Une «drôle de gaieté» envahit Pablo. Quelle en est la cause?
7. Pablo dit à un des officiers phalangistes que celui-ci est un «ballot». Quelle est la réaction de l'homme?
8. Pourquoi est-ce que Pablo dit aux officiers que Ramon Gris s'est caché dans le cimetière?

Activités

9. Décrivez la pièce où l'on conduit Pablo Ibbieta pour l'interroger.
10. Mettez-vous à la place de Pablo et expliquez pourquoi il lui semble que les officiers, avec leurs «petites activités» et leurs opinions, étaient plutôt «fous».
11. Ecrivez, en quelques phrases, ce que Pablo pense maintenant de la cause de l'Espagne, de la politique des anarchistes, des activités humaines en général.
12. Pablo imagine que les soldats phalangistes cherchent son camarade Ramon Gris dans le cimetière. Expliquez, en une ou deux phrases, pourquoi il trouve cela «d'un comique irrésistible».

Questions

1. Expliquez pourquoi l'officier phalangiste n'a pas l'air penaud en rentrant.
2. Pourquoi est-ce que Pablo Ibbieta ne répond pas quand les «types» l'interpellent?
3. Pourquoi est-ce que le boulanger Garcia appelle Pablo un «veinard»?

Activités

4. Mettez-vous à la place de Pablo Ibbieta et inventez son monologue quand il se demande pourquoi on ne va pas le fusiller.
5. C'est **l'absurdité** de la vie humaine qui est à la base de la philosophie dite «existentialiste». Montrez que cela est aussi le cas dans LE MUR (la fin de l'histoire est déterminante ici).
6. La philosophie existentialiste est aussi celle de **l'engagement**. Montrez que cet engagement est aussi présent dans LE MUR.